"亮丽内蒙古"文化普及口袋书

U0102864

魅力民俗

亮丽内蒙古

田宏利 ◎ 编著

内蒙古人民出版社

图书在版编目 (CIP) 数据

爱上内蒙古. 魅力民俗 / 田宏利编著. — 呼和浩特：内蒙古人民出版社，2021.10
（"亮丽内蒙古"文化普及口袋书）
ISBN 978-7-204-16890-3

Ⅰ. ①爱… Ⅱ. ①田… Ⅲ. ①内蒙古－概况②风俗习惯－介绍－内蒙古 Ⅳ. ① K922.6 ② K892.426

中国版本图书馆 CIP 数据核字 (2021) 第 215701 号

爱上内蒙古·魅力民俗

作　　者	田宏利	
策划编辑	王　静	
责任编辑	李　鑫	
封面设计	吉　雅	
出版发行	内蒙古人民出版社	
地　　址	呼和浩特市新城区中山东路 8 号波士名人国际 B 座 5 层	
网　　址	http://www.impph.cn	
印　　刷	内蒙古恩科赛美好印刷有限公司	
开　　本	889mm×1194mm　1/48	
印　　张	2.5	
字　　数	50 千	
版　　次	2021 年 10 月第 1 版	
印　　次	2023 年 2 月第 1 次印刷	
书　　号	ISBN 978-7-204-16890-3	
定　　价	10.00 元	

如发现印装质量问题，请与我社联系。
联系电话：（0471）3946120

「亮丽内蒙古」文化普及口袋书

开 电子书库 📖

阅读本丛书全部电子书，全方位了解内蒙古。

看 纪录片 ▷

从影视作品中了解内蒙古的历史文化。

赏析 蒙古族长调艺术 🎵

聆听蒙古族长调民歌，带你领略蒙古族音乐的独特魅力。

📷 旅行交流圈

聊聊你眼中的内蒙古。

微信扫码

序

内蒙古是一个走进去就会爱上她的地方。

这里有辽阔壮美的天然草原——呼伦贝尔草原无边无际，科尔沁草原绿草如茵，鄂尔多斯草原草长莺飞，阿拉善荒漠草原苍茫神秘；有我国面积最大的原始林区——大兴安岭林海莽莽苍苍，美景如画；有生态类型多样的世界地质公园——阿尔山世界地质公园里有亚洲面积最大的火山地貌景观，克什克腾世界地质公园是我国北部环境演化的自然博物馆，阿拉善沙漠世界地质公园中的沙漠景观、戈壁景观、峡谷景观和风蚀地貌景观交相辉映。

这里也是"歌的海洋""酒的故乡""舞蹈的天堂"——一首首歌曲犹

如一泓清澈的甘泉，从苍茫遥远的天边流泻而来；一杯杯美酒醇香甘甜，醉人心田；一支支舞蹈激情澎湃地舞动着青春的活力，舞动着生命的力量。这里还有丰富多样、风味独特的美食佳肴，有悠久灿烂的地域文化及独具魅力的民俗风情，有蒙汉合璧、别具匠心的宏伟建筑，有革命历史文化底蕴深厚的庄严肃穆的红色旅游胜地……

这些都是内蒙古以昂然之姿向世人展示自己的美丽的底气。这套《"亮丽内蒙古"文化普及口袋书》策划的初心和使命，就是从自然景观、人文景观、民俗文化、地域文化、饮食文化及红色旅游、城区建设等多个方面展现内蒙古自治区的亮丽风采以及各族人民在中国共产党的正确领导下，始终坚定地沿着中国特色社会主义道路奋勇前进，共同团结奋斗、共同繁荣发展的崭新时代风貌。

假如这般如诗如画的美景和悠久璀璨的历史文化还不足以打动你，那么，请到内蒙古来吧，生活在这片土地上的勇敢、诚信、友善的各族人民将带你深入领略内蒙古经济发展、社会进步、文化繁荣、民族团结、边疆安宁、生态文明、人民幸福的亮丽风景线，为你提供 N 个爱上内蒙古的理由。

目　录

酬神庙会隆盛庄 …………………… 1

托县民俗热闹多 …………………… 7

和林剪纸花样多 …………………… 13

土旗"脑阁"庆吉祥 …………………… 17

河套面塑代相传 …………………… 23

农历初十"石头节" …………………… 29

"绿色居所"蒙古包 …………………… 35

禄马风旗·苏鲁德 …………………… 41

鞍马文化话马鞍 …………………… 47

查干苏鲁克大典 …………………… 53

草原盛会"那达慕" …………………… 57

古老民俗"祭敖包" …………………… 63

朋友相见敬"哈达" …………………… 69

五畜兴旺"马奶节" …………………… 73

草原寒冬"赛驼节" ……………… 77

各族人民过春节 ……………… 85

兴安岭上鄂伦春 ……………… 93

呼伦贝尔达斡尔 ……………… 99

敖鲁古雅鄂温克 ……………… 103

后记 ……………………… 108

酬神庙会隆盛庄

中国传统村落

　　隆盛庄镇距离乌兰察布丰镇市东北40公里，古老的明烽火台至今巍然屹立，隆盛庄镇的明长城是国家级文物保护单位，镇内的清真寺和南庙是自治区级文物保护单位，此外，镇内还有县市级历史建筑11处，镇内历史建筑共44处。

　　清乾隆三十二年（1768年），清政府招民在此垦荒建庄，取乾隆盛世之意，

中国传统村落——隆盛庄镇

于是定名隆盛庄。

走进隆盛庄镇，迎面而来的飞檐反宇至今风貌依旧。逢节庆日，各类商贩云集，叫卖声不绝于耳，外地游客可以直观地感受到中国传统村落、中国历史文化名镇的古朴热闹。

如果说各类建筑遗迹是文明的体魄，那么，非物质文化遗产便是文明的灵魂。

隆盛庄每年的农历六月二十四举办的庙会，是乌兰察布市民俗活动的典型代表之一，距今已有 240 多年历史，规模宏大、热闹壮观。

相传，清乾隆五十二年（1787 年），隆盛庄地区从春至夏滴雨未下，旱情十分严重。当地百姓在龙王庙前日夜跪拜，祈求龙王降雨，当地八大商行会首也齐集龙王庙前祈求下雨，并许诺，如在六月前天降大雨，便择佳日举办大型庙会以酬谢神灵。

所谓心诚则灵，五月中旬，上天普降甘霖，大地和农田顿显生机，隆盛庄众商行不负承诺，选定在农历六月二十四这天举办庙会。

　　民间传说农历六月二十四是雷神诞辰，而前一天则是关帝诞辰，于是众商号决定同时酬谢两庙，而酬谢的神灵以关帝为主，因为隆盛庄大部分移民是山西籍，与关帝是同乡，于是相沿成俗，确定每年农历六月二十四举办隆重的庙会。

　　酬神庙会不仅聚集了附近的士绅、乡民和商贾，而且还有大批生活在草原地区的商户也会赶来进行牲畜交易，会后再将交易后的茶叶、布匹等货物运往草原地区出售，另有许多来自河南、河北、山西、陕西等地的客商也按期参会，出售来自中原地区的大宗商品，然后再将收购的牲畜皮毛运回中原地区出售。

　　南北商人在隆盛庄庙会上进行的贸易交流，盈利极为可观，但是最大获利者还是隆盛庄人，所以庙会越办越兴盛，庙会期间，客商云集，生意火爆。

　　在商贸交易鼎盛时期，民间文化交流相应增多，庙会中各路民间艺术表演也纷纷加入。特别是山西艺人带入的抬阁、脑阁，以及当地的民间社火、秧歌和古装大戏等节目的加入，使得庙会成为当地十里八乡百姓所喜爱的文化盛宴，为庙会增添了浓浓的民俗色彩。

抬阁、脑阁是内地商贾将江浙一带的丝绸织品卖到塞外，经当地艺人根据丝织品图案而创作的表现形式，后经民间艺人逐步充实，成为庙会的主体组成

丰镇市隆盛庄隆福禅寺

部分，抬阁、脑阁表演内容，也涵盖了很多在民间广泛流传的美好动人故事，为传统庙会增添了许多文化色彩。

相比外地游客对于传统庙会的好奇，隆盛庄人对庙会有着一种特殊的情结，每年一度的庙会早已是当地百姓生活中的一件大事，是除春节之外最热闹的日子。每逢庙会，即使再忙，也要携老扶幼前来参加。庙会至今仍用来祈祷风调雨顺、五谷丰登，是传承传统文化重要载体。

托县民俗热闹多

在托克托县这片古老土地上，原始的黄河农耕文化、草原游牧文化，加上特色鲜明的晋商文化，在长期的碰撞交流中相融共生。

2400多年的人文积淀，使云中地区的文化形成了特有的文化内涵，非物质文化遗产更是丰厚且弥足珍贵。

现列入自治区非物质文化遗产保护

秧歌

名录的有双墙秧歌、托克托传说故事、寿阳鼓和托县面塑；列入呼和浩特市非物质文化遗产保护名录的有托克托民间曲艺、托克托九曲黄河阵、托县剪纸、托克托社火、托克托吹歌等。

托县的双墙秧歌，距今已有300余年的历史，分为文秧歌和武秧歌，是以其诞生地"双墙村"命名的民间舞蹈节目。表演形式有"过街"演出和"打场子"演出，文秧歌有《海蚌戏渔翁》《拉花踢鼓》《货郎》《划旱船》等50多个节目；武秧歌有《醉打蒋门神》《打焦赞》等20多个节目。最兴盛时，有节目百余个，唱段数百首。

双墙秧歌曲调以蒙古曲儿、山曲儿乃至码头调为基础，汲取了晋、陕、冀等地的民间艺术特点，其节目可取材于戏剧，也可取材于生活，表演时间可长可短，节目可大可小。双墙秧歌作为托克托社火的重要节目得以传承和发展，这种独特的艺术形式，可使民间传统的社火节目别开生面，妙趣横生。

　　有些节目，则走出社火圈子，登上戏剧舞台，其表演则借鉴传统戏曲的艺术精华，是戏曲艺术社火舞蹈化，也是社火舞蹈的戏剧化。

　　托克托县传说故事，是托克托县民间文学的重要组成部分。托克托县现有的村落大多形成于清朝乾隆之后，至今流传下来的较完整的民间故事，多是反映元、明、清及以后的事情，亦有少量战国、秦、汉和宋代的故事。托克托县

托县黑水泉村"寿阳鼓"

民间故事内容丰富且结构完整，具有极为鲜明的地方特性，多角度地反映了托县地区的历史地貌和风土人情。

"寿阳鼓"，是托克托县乃至土默川地区典型的民间社火文艺节目，源于山西寿阳，是黄河文化与游牧文化交融的具体体现。托克托县新营子镇黑水泉村的"寿阳鼓"，是土默川地区保存最完整的民间社火文艺节目，传承历史已有300余年。

"寿阳鼓"的主要乐器有鼓（直径1.5米，高1米左右）、铙、钹、小锣。乐曲分为顺调、歇锤子、硬鼓子、双锤、四砸、九锤子、六砸等演奏方式，多种演奏方式交替使用，鼓、铙、钹互相呼应，演奏时间可达20多分钟，阵容强大，气势雄浑，十分壮观。

这些非物质文化遗产，都已成为托克托县的无形资产，给当地丰富的旅游资源增添了深厚的文化内涵。

和林剪纸花样多

扫码查看
★ 同系列电子书
★ 内蒙古纪录片

　　和林格尔县地处内蒙古中南部，南倚长城、北亘阴山、西望黄河、东临岱海，自古以来就是北方游牧民族和中原汉族交汇融合的重要地区。历史上大量中原汉族劳动人民的内迁，使得这里呈现出多民族相互交融，繁荣发展的面貌。

　　各族人民世世代代繁衍生息，和睦相处，创造了多姿多彩的民间艺术，和林格尔剪纸就是中国北方剪纸颇具代表性的剪纸文化遗存之一，是由世代生活在和林格尔地区的农牧民劳动者创造的，经过传承发展，成为内蒙古地区极为重要的非物质文化。

民间剪纸

古代生活在和林格尔的劳动者，在岁月的历史长河中，创造了精美的剪纸艺术。北魏鲜卑墓出土的金银箔透雕饰品，游牧毡帐上缀缝的装饰花纹，蒙古族制作的"革囊""弓衣""箭筒""鞍鞯""毡绣"，以及蒙古族服饰上经过精雕细刻的手工饰物，都是剪纸艺术的镂空透雕技艺的本质反映。

历史上和林格尔地区的移民实边，近现代晋、陕地区大量汉族人口向北方草原地区移民，使得中原农耕文化与北方游牧文化不断地交流、融合，各民族之间的民间手工技艺也在不断交流，孕育了和林格尔民间剪纸艺术的丰富文化内涵。

和林格尔剪纸艺术总体上呈现出粗犷豪放、深沉厚重的气质，反映了北方人民质朴奔放、热情率真的性格特征和令人神往、遐想万千的民俗景观。

和林格尔剪纸的传承者们，在剪纸艺术表现上，熟练运用地域性剪纸特色的造型法则，把古老风俗、主题寓意和

和林剪纸花样多

纹样的信息，通过剪纸的形式淋漓尽致地表现出来，达到艺术的完美呈现。他们的艺术创造，有着重要的艺术、考古和审美等价值。因此，和林格尔剪纸被众多学者、专家誉为"农耕与草原图腾历史文化的活化石"。

目前，和林格尔县拥有业余剪纸人员超过 5000 人，年龄最大的近百岁，最小的仅有七八岁。

进入新时代，和林格尔剪纸文化事业在以抢救、保护、传承为核心的前提下，走出了一条健康、科学的剪纸传播之路，成为当代中国剪纸文化界的一个著名的文化品牌。

土旗『脑阁』庆吉祥

　　内蒙古自治区土默特左旗的"脑阁"（也称飘色），相传是清康熙年间，土默特王爷为迎接康熙皇帝举行盛大庆典时，特意从山西地区引进的，经过了三百多年的发展演变，不仅具有深厚的黄河文化底蕴，而且独具鲜明的地区特色，是游牧文化与黄河文化交融的具体体现。

脑阁

据史料记载，脑阁是集戏剧、杂技、美术、舞蹈、音乐为一体的综合型艺术。

相传隋唐时期，中原地区民间就出现了"抬阁""节节高""背棍"等表演形式。随着佛教的传入，佛教文化与中原文化在碰撞中相互融合，民间拜佛祭神活动随之普遍兴起。后经中原人迁徙，将它传至大江南北，在不同的文化背景地区，形成了不同风格，不同流派。如水上表演的称"水色"，马上表演的称"马色"等，形式多种多样。

脑阁就是在抬阁的基础上演变而来的。

脑阁二字是山西、陕西、内蒙古西部等地区的方言，其中"脑"的意思是将物品或人高高地扛起，"阁"则是一个捆绑焊接得非常结实的铁制架子。

演出时，将铁架子固定在一个成年人身上，这个扛阁的成年人被称为"色脚"，架子上站1至3名儿童，叫做"色芯"，每一成人与儿童的组合称为"一架"。"色芯"一般是3到8岁，体重低于25公斤，长相俊俏、聪明伶俐的孩子，他们身着色彩鲜艳的戏服，妆扮成各种戏剧人物，再以花草彩云装饰。随着欢快、铿锵的锣鼓节奏，头和胳膊自然地舞蹈起来，活泼烂漫、非常可爱动人。反映了劳动人民对于历史英雄人物的敬仰和对美好生活与爱情的憧憬。

按照民间说法，凡是上过脑阁的孩子，将会一生健康，幸福，平安，吉祥。

土默特左旗每年正月的社火活动中，脑阁表演都是重头戏，意为欢庆前一年的丰收，并预祝当年有好的收成。此外，婚庆、庙会等一些红火热闹的活动，也少不了脑阁表演来助兴，在当地以及周边地区，脑阁早已成为喜庆吉祥的象征。

脑阁所展现的内容多以传统题材的历史故事为主，如《梁山伯与祝英台》《天仙配》《白蛇传》《西游记》《八仙过海》等，还有表现内蒙古地区历史、文化、人物的故事，如《昭君出塞》《草原英雄小姐妹》等。

进入新时代，脑阁艺术也在积极创

新，表现民族团结互助、共同进步的形式、内容也越来越多，体现出民间艺术的与时俱进和时代感、创新性，增强了艺术的生机和活力。

敕勒川博物馆民俗厅陈列的脑阁蜡像

河套、托县捏面塑

面塑，俗称江米人，也叫面人，是一种用米粉或面粉为原料捏塑动物、人物形象的手工工艺。它是民间泥塑的流变，也可以说是泥塑的一个品种，是人类在满足了生存需求的情况下，利用粮食作物代替泥巴而衍生出来的一种手工艺品。

产生于内蒙古河套地区的民间面塑

面塑

艺术，是中国北方地区面食文化在内蒙古草原上绽放的奇葩，亦是民族艺术的重要组成部分。

河套面塑始于明末清初，流行于清末至民国时期，因为这一历史时期内蒙古黄河沿岸的后套地区，出现了大规模的移民浪潮。大量移民的到来，使后套地区的社会生产生活、文化习俗等都发生了变化。晋、陕、甘等地的人民大量迁移到后套地区，使得河套面塑具有杂糅性，它既有山西面塑的细腻，又有着陕、甘面塑的粗犷，同时又有着自己独特的艺术风格。

河套面塑的制作材料主要是以小麦粉（雪花粉）为主，因为河套地区有日照时间长、黄河引水灌溉这样特殊的优势，所以，这里的硬质小麦磨出来的面粉，要比山西、陕西、河南、山东等地面粉更筋道，韧性也更强。尤其是在面塑的塑形和蒸熟时，河套地区小麦粉的优势尤为明显，面塑更容易塑形，蒸熟的过程中还不容易裂开。

　　面塑在上色时需要红枣、黑豆、红豆、绿豆等辅料。因为河套面塑是以面粉天然的颜色作为整体色调，所以这些辅料的颜色成为面塑的主要色彩。在视觉上呈现出更多的纯朴、大方之感。

　　与黄河河套一水相连的托克托县，位于土默川平原，地理位置独特，早在清朝时期，就是塞外闻名的"水旱码头"，这里交通便利，经济繁荣。清朝时期土地的放垦，成为塞外汉族村落形成的主

"云中古郡"托克托县

要原因。

由于大批山西、陕西、河北等地农民、商人、小手工业者，纷纷来到这里种田、经商及传授手工技艺，从而使得晋陕地区的捏面人手工技艺也被带到托克托县地区，在这里汉族和少数民族相互融合，形成了独具特色的托克托县面塑技艺，走过了大约300年的传承。

托克托县掌握面塑手工技艺的人，主要分布在县城及县城以西的村落，随着人口和村落的逐渐增多，捏制面制品也成了每个家庭妇女必备的手艺。许多人家的女儿在未出嫁时，每逢节日就跟家中的长辈学习这门技艺，等自己有了女儿，也要向她们传授如何捏制面制品。

托克托县地区面塑制品主要以节日面塑、祭祀面塑和人生仪礼面塑等形态流传。节日面塑主要有"枣山山"和"寒燕燕"；祭祀面塑主要有面人；人生仪礼面塑主要有面鱼、面锁、寿桃和大供、小供。

　　这些面塑制品，是当地人民热爱生活的反映，例如寒燕燕，代表了人们对春的回归的祝福和万物兴旺的祈福；枣山山，代表了人们表达丰收的喜悦心情和来年风调雨顺的期盼。

　　祭祀面塑和人生仪礼面塑，是对生命的肯定与祝福，例如孩子满月和十二岁生日时，外婆要做一个带有十二生肖的面锁送与孩子，在孩子头上戴过后分给前来庆贺的亲友吃，取免灾之意；新人结婚时新娘新郎各自吃一对"欢鱼吉兔"，以示护佑一对新人，既增强了喜庆的气氛，也丰富了民间婚俗的内容。

　　河套、托克托县面塑作为一种民间艺术的载体，承载着传承历史文化的使命，同时也是河套和土默川地区民俗生活、审美文化的体现。

正月初十『石头节』

农历正月初十，称为"石头节"，亦称"老鼠娶亲日"，俗称"十指节"。这是内蒙古中西部地区的一个重要节日，按照传统习俗，这天妇女们忌使用针线，家里的男女老少一起搓莜面，家家户户都要吃莜面。

旧时的老话里，有"内蒙古三件宝：莜面、山药、烂皮袄"的俗语，可见莜面在内蒙古中西部人们心中的重要地位。

当然，这天吃莜面，是一定要搓一些"鱼鱼"的，所谓"年年莜鱼（年年有余）"嘛！

在内蒙古一些地方，吃莜面的同时，人们还会根据这一天蒸莜面时，落到专门捏制的莜面壳壳里的"禾水"，来预测一年当中哪个月雨水多，哪个月雨水少，以求种地心中有数。这种做法虽然没有什么科学根据，但在靠天吃饭的农耕时代，也给人们带来过很多丰收的希望。

正月初十吃莜面原是晋北风俗，根据民间传统，这一天也被称为"老鼠娶亲日"，吃莜面是为了讨好鼠爷，祈求新年交好运。

"十"与"石"同音，又因为墙基用石头垒砌，老鼠又多生活在墙角窟窿里，所以正月初十是为石头节，是民间说法老鼠娶媳妇的日子。

莜面鱼鱼

蒙晋沿黄河两岸的人们在老鼠娶亲这天，习俗也是各不相同，有包饺子的，说是要把老鼠嘴捏住，不让它四处乱啃，祸害粮食、物件和庄稼；有烧毁旧鞋子的，为的是让老鼠没处做窝下小老鼠；而吃莜面的意义则比较特殊，据说是莜面熟得快，一家人能早点儿吃完晚饭熄灯睡觉，以免打扰晚上老鼠出门迎亲，千万要让老鼠顺顺当当早点嫁走，这样新的一年里才能平平安安，顺顺当当，有个好收成。

在清水河县靠近晋北的一些地方，初十晚上忌点灯，忌说话，生怕惊扰了

老鼠娶亲，惹下鼠神。小孩子不明事理，往往想看个明白。大人们便接过祖辈的传说，对孩子们说："要嘴里含着驴粪蛋蛋，耳朵里塞上羊粪蛋蛋，眼皮上夹着鸡屎片片，在满天星星的时候趴在磨眼里，才能看到老鼠娶亲的热闹场面，听到鼓乐声。"这样的事情，孩子们当然不愿干了，也就只好睡觉。

以现代人的眼光看来，在正月初十这一天吃莜面，其实是对春节期间饮食过于油腻的一种调节，达到健康养生的目的。

清水河老牛湾

「环保家居」蒙古包

扫码查看
★ 同系列电子书
★ 内蒙古纪录片

　　蒙古民族历史上以游牧生活为主，终年赶着他们的山羊、绵羊、牛、马和骆驼寻找新的牧场。蒙古包可以很快被打点成行装，由几头双峰骆驼驮着，运到下一个落脚点，再重新搭建起来。可以说，蒙古包是随着牧民们的行程而建的。

　　游牧民族为适应游牧生活而创造的

蓝天白云下的蒙古包

这种居所，因其易于拆装，便于游牧，自匈奴时代起就已开始大量出现，并且一直沿用至今。

说起蒙古包的形成，我们就要追溯到远古的历史阶段。大家都知道，最早的人类，是居住在一些天然的洞穴里，主要生存方式以采集为主。随着人类进化和文明程度的提高，他们开始对这些天然的洞穴加以改造，以提高自己的生存质量和躲避自然界风雨雷电的侵袭。古人在对自己居所的改建和装修过程中，显示出了极高的聪明才智。他们沿着洞壁，把木头或是石头砌到洞沿，在上面搭上一些横木封住洞顶，这样就形成了一个洞室。在封住洞顶的时候要留出一个口子，用来日常出入、洞室采光、通风和走烟。这一雏形在后来被逐渐发展成为蒙古包的门和天窗。那个时期，这样的洞室被称为"乌尔斡"。"乌尔"原意为"挖"的意思，现代蒙古语中已经专指蒙古包天窗上的顶毡，引申为"家""户"的意思。

随着原始人类的生产生活方式由采集向狩猎过渡，活动范围越来越大，同时也开始把一部分食草动物逐渐驯养成为家畜，于是草原上畜牧业的雏形逐渐显现。于是一些窝棚、帐幕之类的、利于游牧和迁徙的新型流动居所应运而生。

这种初期圆形拱顶的隐蔽窝棚，大多以活树为支柱，用桦树皮覆盖，制作简单，便于遗弃，同时也出现了毛毡帐，其形似天幕，用羊毛毡子覆盖。后来又渐渐有了帐篷，不过当时的帐篷只是用树木的枝干做个支架，上面覆盖一层动物毛皮就可以了。进入畜牧社会，由粗糙的树木枝干做成的支架，又被渐渐演变成为加工更为精细均匀的"哈那"，同上面提到的洞顶变成天窗结合在一起，于是便有了蒙古包的雏形。

蒙古包在其发展过程中形成了两大流派：一种是由中国的鄂伦春族创造，拥有"完全自主知识产权"的传统建筑"歇仁柱"式（在鄂伦春语里，歇仁柱就是"木杆屋"的意思）蒙古包：即以树干做支架，尖顶，用兽皮或树皮、草叶子做苫盖；还有一种就是蒙古民族千百年来一直沿用至今的，主要以毛毡作为其覆盖物的穹顶、圆壁的蒙古包。

由地窝子"乌尔斡"发展到窝棚，已经具备了蒙古包雏形，再由窝棚发展成为定形的蒙古包，即有颈天窗"哈那图格日"（有颈蒙古包），再进一步发展，便成了近代形式的蒙古包，即插檐式天窗"哈那图格日"。这一历史沿袭，

蒙古包内部场景

「环保家居」蒙古包

比较客观地反映了古代蒙古人是如何由采集渔猎逐步进入到以游牧为生，以及随着文明的进步，蒙古包建筑日臻完善的发展历程。

禄马风旗·苏鲁德

　　凡是来鄂尔多斯草原旅游的人们，都会在每家牧民门前，看到一根高高矗立的旗杆，杆头安着一柄明晃晃的三叉，叉上錾有日月图形，半杆间挂着一面长方形的蓝旗。有的人家还把这种物件左右对称地栽成两根，中间用细绳连接起来，上面垂挂上红黄蓝白绿五色彩旗。风一吹过，这些旗帜

敖包上的苏鲁德

就一起飘起来。

游客立于旗下,觉得又庄严而神圣,不由得仔细端详一番。这时你才发现,那三叉中间的一支,样子很像箭头,两边的形状,酷似一张弓,如挽弓搭箭欲射之状。不过下面有个承托着它们的圆板,圆板朝上栽了许多缨子,很容易被想象成武术表演当中的红缨枪。再看那旗帜上,好像有一匹腾飞的骏马在随风飘动。还有许多东西,在风中不好看清楚。

事实上,你把它看成弓箭,看成长矛,已经对了大半。自古蒙古族人爱马尚武,旗帜是一面画着奔马的蓝布,出则兴于军前,居则竖于帐外。成吉思汗到鄂尔多斯的时候,就是高举着这面旗帜,用弓箭长枪(矛)攻打西夏的。

后来成吉思汗葬于鄂尔多斯,蒙古族人就把他的旗帜和武器仿制下来,竖于自家门前,历久成俗,就形成上文中的禄马。

禄马,蒙古语叫"嘿毛利",意思就是"希望之马""时运之骏"。溯源却与战争有关。它的形体，可以看成是骏马和兵器的合璧。

成吉思汗的长矛当地人称作"苏鲁德"，原来供奉在鄂托克前旗查干陶勒盖苏木，每逢成陵大祭的时候，要由一匹枣骝公马把它驮到一个名叫千棵树的地方，参加十三年一度的镇远黑纛大祭。

木华黎苏鲁德

禄马风旗

苏鲁德为什么这么厉害，原来它本身就是神物。传说成吉思汗有一次被围困在一处叫做千棵树的林子里，四面楚歌，形势危急，便翻身下马，将马鞭取下，朝天反置，大叫一声："苍天呀苍天，你救不救我？"一语未了，只听空中一声巨响，这柄苏鲁德便倏然从天而降，挂在树梢上便不动了。木华黎根据成吉思汗的授意，登在枣骝公马的背上，将其取了下来。从此成吉思汗把它举到哪里，哪里就奏起了凯歌。

如今禄马上描绘的，便是这一段故事。当中的矛头就是苏鲁德，日月代表苍天，圆木盘象征苏鲁德承接于树上，缨子用枣骝马鬃做成，表明苏鲁德取于马上。

暮色里的风马旗

鞍马礼俗

话马鞍

北方游牧民族离开马背，犹如鸟失翼，车折轮。马鞍，这一伟大的发明，将英雄与骏马紧紧地联系在一起。它使得游牧民族跃上马背，取得了辉煌的战

马鞍

功。因此，在游牧文明的历史里，马鞍写下了浓墨重彩的一笔。在古代，马鞍的优劣，甚至能无声地体现主人的身份和地位。这种浓厚的社会氛围和历史传统，自然地孕育了深厚的鞍马文化。

在成吉思汗陵旅游景区的蒙古历史文化博物馆，秩序井然地陈列着 206 副马鞍及配套鞍具，吸引着很多游客的关注。这 206 副马鞍集中体现了游牧文明的精深内涵，以实物层面精彩阐释了蒙古民族的马鞍文化。

马鞍对蒙古民族来说不仅是骑马的必备之物，而且是骑手和马的重要装饰物，已形成独特的装饰艺术。博物馆收藏的这批马鞍中，就质地而言，主要有景泰蓝、鲨鱼皮、黄白铜、影子木和铁质；从工艺上区分，有掐丝珐琅彩、骨质镶嵌纹、铁错金银铜、鲨鱼皮彩绘；就民俗图案来讲，有万寿无疆、五福捧寿、平平安安、节节高升等等。

而在形制上，博物馆根据不同的地域和背景收集了多种多样的马鞍，大尾鞍、小尾鞍、鹰式鞍、人字鞍等；又因为蒙古民族早期信仰萨满教，元代以后普遍信仰喇嘛教，所以馆内萨满鞍和喇嘛鞍都有展示；而从用途上看，又可分为生活鞍、牧放鞍、狩猎鞍、仪礼鞍等等，不一而足。

随着金属工艺的发展，清代时制作马鞍的技术相当发达，用金银铜等金属制作的马鞍数量众多，有些马鞍是专门

鲨鱼皮马鞍

馆藏马鞍

为满足王公贵族们的奢侈生活的，不仅
质地考究，工艺精湛，而且造型多样，
民俗图案也丰富多彩。其中非常有代表
意义的"蒙古王爷福晋对儿鞍"是博物
馆典藏的精品，其中王爷鞍为"镶鹿骨
影子木马鞍"，胎木采用百年树根，经
过常年河水反复浸泡、晾干后，手工雕

刻而成。正面以鹿骨镶嵌成一对蝙蝠和一枚铜钱花纹，蕴含"福在眼前"的美好祝愿，前后 16 根皮质鞘绳更使整个马鞍彰显贵族风范；福晋鞍为"掐丝珐琅彩马鞍"，整体以孔雀蓝掐丝珐琅工艺包裹，璀璨夺目，不漏一隙木胎，正面纹饰很有意境，是喜鹊安然栖于梅树之上，寓意"喜上眉梢"。

很多人不知道，蒙古民族还有独特的马鞍礼俗。蒙古牧人做好一副称心如意的马鞍，就像汉族农民得到一块土地一样，是件非常值得高兴的事。为了做一副满意的马鞍，甚至要准备许多年。普通牧民较好的马鞍，能抵上几头带犊乳牛、带驹骒马的价格。而每当做成一副好马鞍的时候，牧民们就要选择良辰吉日，把左邻右舍和亲戚请来，大摆宴席，加以庆祝。

查干苏鲁克大典

查干苏鲁克是蒙古语，意为"洁白的畜群"。每年的农历三月二十一，一年一度规模最大、最隆重的祭祀活动——春季查干苏鲁克大典，都会在内蒙古自治区伊金霍洛旗境内的成吉思汗陵举行。

按照传统，举行祭奠时，要挤下九十九匹白马的乳汁，盛在宝日温都尔（奶桶）里，用九眼勺沾取马奶，向苍

成吉思汗陵祭奠

天祭洒。因此，这一大典也称"鲜奶祭"仪式。

每年这一天从清晨开始，就有来自全国各地的祭拜者不断涌入成吉思汗陵。身着艳丽民族服饰的蒙古族群众，不顾长途跋涉的劳累，依次虔诚地将带来的羊背子、酥油、砖茶等供品交给祭祀活动主持人，然后分别手托蓝色或黄色、白色的哈达，默默地接受祭祀主持人真诚的祝福，最后饮下象征着吉祥、平安和祝福的圣酒。

据传，成吉思汗50岁那年正月初一，忽染贵恙，一病就是九九八十一天，到三月二十一这天才康复。为了结八十一天的凶兆，便在三月二十一这天，拉起万群牲畜的缰绳，用99匹白马之乳，向长生天祭洒。也有人讲，成吉思汗50岁那年春天，天气久旱无雨，草原上的牲畜大批死亡。成吉思汗认为这是凶月，必须逢凶化吉。于是，他亲自挑选了99匹精良的白色母马，用其乳汁向苍天祭洒。后来，这种祭祀习惯便沿袭至今。

成吉思汗陵祭奠

除了以农历三月二十一为主祭日的查干苏鲁克大典，还有夏季淖尔大典、秋季斯日格大典、冬季达斯玛大典，史称为四时大祭。此外，每月初一、初三和其他一些特殊的日子里都有固定的传统祭祀。一年中，除每天的"日祭"外，还要举行60多次时间、内容、规模都不同的专项祭祀。

随着时代的更迭，成吉思汗祭祀也从国之大典演变为区域性的民俗活动。

草原盛会「那达慕」

　　那达慕大会，是居住在内蒙古自治区各地的蒙古族、鄂温克族、达斡尔族等少数民族的盛大集会，"那达慕"是蒙古语音译，意思是"娱乐"或"游戏"。13世纪初，成吉思汗统一了蒙古诸部，为检阅自己的部队，维护和分配草场，每年在农历的七八月份，草原上水草丰茂、牛羊肥壮的季节，都要举行大"忽里勒台"（即大聚会）。将各个部落的

"那达慕"赛马

首领召集在一起，推举官员，修改法令，制定方略。其间，为增进友谊和祈庆丰收，都要举行"那达慕"大会。大会上有歌舞娱乐、摔跤、射箭、赛马等比赛项目，其中竞技占较大比重。

起初的"那达慕"大会，只举行射箭、赛马或摔跤的某一项比赛。在元朝时，"那达慕"已经在蒙古草原地区广泛开展起来，并逐渐成为军事体育项目。元朝统治者规定，蒙古族男子必须具备摔跤、骑马、射箭这三项基本技能。到元末明初时，射箭、赛马、摔跤这三项比赛已经结合在了一起，成为固定形式。后来蒙古族人亦简称此三项运动为"那达慕"。

清代，"那达慕"逐步演变成了由官方定期召集的有组织、有目的的游艺活动，规模、形式和内容均有发展。当时的蒙古族王公以苏木、旗、盟为单位，半年、一年或三年举行一次"那达慕"大会，并对比赛胜利者分等级给予奖赏和称号。

"那达慕"的内容和形式，在各个

历史时期不断丰富和扩展，但摔跤、赛马、射箭的"男儿三艺"内容，却始终是其最为核心的标志性的符号表达。

按蒙古族的传统习惯，"那达慕"大会有大、中、小三种类型。

大型"那达慕"大会：参加摔跤赛的五百一十二人或一千零二十四人，马三百匹左右，会期七至十天；中型：摔跤手二百五十六名，马一百至一百五十匹，会期五至七天；小型：摔跤手一百二十八名或六十四名，马三十至

"那达慕"搏克

五十匹左右，会期三至五天。无论何种民族与宗教信仰的人，均可报名参加。大型的"那达慕"冠军获得者，要奖励鼻带银环、背驮珠宝绸缎九九八十一件赏物的银白色骆驼；小型"那达慕"上获胜的摔跤冠军，一般奖励一只羊或几块砖茶；较大型的则会奖励一匹全鞍的马。当代"那达慕"还增加了女子、少年摔跤和马球、马术等比赛，同时还举行物资交流活动。

每年的"那达慕"大会上，集市贸易、艺术品和餐饮业的活动也是特别热闹。如今的"那达慕"已增加了物资交流、文艺演出等许多新内容。使这一传统的民族盛会更加喜庆、吉祥和欢乐。

古老习俗「祭敖包」

扫码查看
★ 同系列电子书
★ 内蒙古纪录片

　　祭敖包是蒙古族的古老习俗，"敖包"是蒙古语音译，蒙古语是"堆子"的意思，当你漫步于空旷的大草原上，远远就会看见在一些山峰上、丘岗旁高耸着的圆锥形石堆，还有上面飘动着的彩带和柳枝。

　　这就是神圣的敖包——草原上的人们与大自然沟通心灵的标志。

　　敖包最初是道路和地界的标志，起着指路、辨别方向的作用。蒙古族祭祀敖包，有各种传说：有说敖包就是神的

祭敖包

化身，有说是代表山神，有说是代表水神、龙神的，也有说是代表庙神或祖先的；还有的说蒙古族祭敖包，来源于藏族。藏族有个风俗，就是在石板上刻上佛教的"啊嘛呢叭咪吽"六字，放在山里，以后人们路过此地，就怀着虔诚的心情，叩头礼拜，祈求行路平安，不许高声喧哗，并向它抛一块石头。时间久了，逐渐堆得高大起来，人们又在上面插上"经幡"之类的东西，就形成了一个"嘛呢堆"。蒙古族信仰喇嘛教以后，也采取这种形式，并称这种乱石垒砌的石堆为敖包。

由于各地区蒙古族的风俗习惯不同，

祭敖包的形式各异。一般都是在夏历五月下旬至六月上旬，有的地方在七八月份。祭祀时，场面非常隆重、热烈，哪怕上百里远的牧民们都要带着祭品赶来。在有条件的地方，还要请上喇嘛，焚香、点火、诵经。祭礼仪式上，主祭喇嘛坐在敖包前摆满供品的长方形桌子后，手捻法珠，念诵经文；两侧有喇嘛坐在敖包前手持大型法号，其他喇嘛围坐在前，祭祀民众围聚在三个方向，面向主祭喇嘛。当主祭喇嘛发出祭祀开始的经令，法号奏出深沉粗犷的音调，众喇嘛和牧

夕阳下的敖包

民们双手作揖念咒。最后，参加祭祀的都要围绕敖包从左向右绕三圈，祈求降福，保佑人畜两旺，并将带来的祭品牛奶、酒、奶油、点心、糖块洒向敖包。

祭典仪式结束后，举行传统的赛马、射箭、摔跤、唱歌、跳舞等文体活动。

有的青年男女则偷偷从人群中溜出，或登山游玩，或倾诉衷肠。现在，一些较大型的敖包祭典，除传统的仪式和活动项目外，又增加了商品交易内容，形成了一个个的"草原集市"。

朋友相见敬「哈达」

　　敬献哈达，是蒙古族和藏族人民用于敬佛或相互交往中表示敬意的一种礼节。颜色以白色为主，此外还有淡黄、浅蓝等几种。哈达的长短也不一致，长的一两丈，短的三五尺。西藏的哈达以白色为多，白色象征着纯洁、美好、吉祥、善良。而在内蒙古大草原上，哈达多为

敬献在敖包上的哈达

蓝色，因为蓝色是天空的色彩，蓝色在草原象征着永恒、兴旺、坚贞和忠诚，牧民还特别喜爱穿蓝色的袍子，在生活中的装饰图案也多采用蓝色。

哈达按质料来分可分为普通品，中级品和高级品。普通品为棉纱织品，称为"素希"；中级品为丝织品，称为"阿希"；高级品为高级丝织品，称为"浪翠"。此外，还有五彩哈达，颜色为蓝、白、黄、绿、红。蓝色表示蓝天，白色是白云，绿色是江河水，红色是空间护法神，黄色象征大地。

五彩哈达是献给菩萨或结亲时做彩箭用的，是最珍贵的礼物。佛教教义解释，五彩哈达是菩萨的服装。所以，五彩哈达只在特定的情况下才用。献哈达多行于庆宴集会、迎客送宾、会见友人、晋谒尊长、拜佛祈祷等场合。

哈达敬献方法：献者双手手心向上，将哈达搭在食指与拇指之间，使两端下垂。献给尊长或贵宾，献者必须躬腰低首将哈达举过头顶送至双方座前请其收纳；献给平辈或下属，则将哈达搭在对方的颈脖上即可。敬献哈达时，双方都需互致问候和祝福。

向长辈敬献哈达

五畜兴旺「马奶节」

　　每年夏季开始挤马奶和入秋停止挤马奶时，草原上一些拥有畜群规模较大的牧户们，都要举行"马奶节"，蒙古语也称"珠拉格"盛会。

　　"马奶节"前夕，主人会选定好吉祥的日子，并提前告知邻近的牧户，临近节日，附近的牧民就都会前来参加"马奶节"。

　　"马奶节"的前两三天，主人要专

马奶节那达慕

门请周围的驯马能手把马群集中起来，套抓住全部的小马驹，栓在牵绳上，然后开始在马群里进行挤马奶的工作，并将挤出的第一碗马奶喂给小马驹，希望小马驹快快长大，再将一小勺马奶喂给家中最小的孩子，希望孩子茁壮成长。

"马奶节"的当天，在拴马驹的牵绳右上方铺上白毡，上面放一张方桌，上有羊背，奶食等食品，桌前放一个装满马奶的木桶，木桶两耳上各系一条哈达，旁边摆放木勺和套马杆等。

"马奶节"开始时会有一个仪式，由九位骑白马的骑士和主人共同完成，首先，九位骑士骑上马来到蒙古包门前，主人用银碗献鲜奶于骑士，骑士品尝鲜奶之后，顺时针方向绕蒙古包一周，然后再次来到拴马驹的牵绳旁，抬起装满马奶的木桶，边走边用木勺进行"萨察礼"（把马奶向空中抛洒），祭祀天地神灵，主人高声朗诵马奶"萨察礼"赞词，众人骑马随从，绕场三周结束仪式，再给种公马和头驹系哈达。一切就绪之后，众人开始聚会，畅饮马奶酒，庆贺"马奶节"，祈求风调雨顺，水草肥美，五畜兴旺，奶食丰收。

马奶营养较为丰富，马奶制作的"其格"（马奶酒）有很好的保健作用，对肠胃疾病也有一定的疗效，所以牧民比较喜欢饮用马奶。挤马奶是一件劳动强度大的工作，马群为远食性牲畜，其活动半径为几十里至几百里范围内，挤马奶从早到晚进行三至四次，所以往往需要牧户们相互协作才能完成此项工作。这样的"马奶节"不但隆重，而且也是草原上亲朋邻里之间增进感情的一场大聚会。

草原寒冬「赛驼节」

金秋赛马，严冬赛驼。每年大约在十一月间，草原上都要进行赛驼。因为这时膘情稳定的骆驼脂肪结实、筋骨强健，最适合参赛。赛驼和赛马一样，也是蒙古族的传统体育运动项目。骆驼跑起来一点不比骏马逊色。只不过它不像赛马那么普及。

草原上的牧民们最初骑乘骆驼，并不是为了进行比赛，不过每逢一些特定

赛驼选手

的日子，例如应邀参加附近人家的婚礼或拜年的时候，常常会十几个人各自骑着骆驼同行，拎着酒瓶，喝到三分醉意，便都开始各自夸奖自己的鞍驼，有意无意地展开竞赛，几十里的路程一口气就能跑到。去了要去的人家，主人便会端着银碗迎出来，祝福和抹画最先抵达的骆驼。久而久之，就渐渐形成了赛驼的民风。再后来就成了骆驼那达慕。

内蒙古的赛驼主要在阿拉善举行，那里的骆驼总数占内蒙古自治区的百分之六十以上，近年来，苏尼特的冬季骆驼文化节也开始引起了人们的关注。

参赛的骆驼，都是特意从驼群中选拔的"精英"，骆驼一旦被选中，就不能再让它拉车或驮脚，只能作为鞍驼专门骑乘。"精英"骆驼们在任何时候看上去都是膘满肉肥，威武雄壮。

选择鞍驼的时候，首先要注意品种，要看它的"爸爸""妈妈"跑得快不快，"爸爸""妈妈"跑得快的话，孩子就跑得快。另外还要看年龄，年轻的公驼和母驼的后代体质好，后劲足。其次形象要好。一般说来，快驼的体型要上宽下窄、四肢发达，脑袋尖，眼神活，绒毛相对薄一些的为佳。

参赛对象选好以后，练驼也很重要。三四岁的骆驼尚未成年，调训要适当，骑乘要稳妥。将生驼驯熟以后，要多与跑得快的成年驼比赛演习。但不能跑得太远，否则体力损耗过大，自信心会受挫，以后速度有减无增，要随着年龄和体力的增加，循序渐进，逐步提高。

赛驼时，会有裁判及助理负责监督，处理比赛中出现的各种问题。远程赛通常只跑一次，没有预赛。田径赛分组进行，每组不超过 10 峰骆驼，各组成绩以时间计算。远程赛中两匹骆驼同时到达的，以左首为先，或算同时到达；拉力赛中某一环节如有特殊情况中途退场，上一峰可以接替它继续跑下去。

比赛过程中如出现下列情形之一者，视为犯规，酌情处理：用驼缰、鞭子抽打他人骆驼头或鼻子，影响他人速度者；

从别人旁边擦过时，故意掀起对方的腿致使对方摔倒者；中途偷换骑驼者；届时未到者。

参赛的前十天，可以进行演习性的比赛。不过一定要在正式比赛的前三天让骆驼休息，前两天的时候饮个半饱，喂得要好一些，正式比赛这天不饮水，只让它吃几口草。

赛驼一般分为远程赛、田径赛和拉力赛三种。远程赛为15~20公里，田径赛（跑圆圈）为3000米、5000米、

赛驼节入场队伍

10000 米不等，接力赛为 20~30 公里。

远程赛的路线，须定在地势平坦开阔，没有任何障碍的地方，起跑线和终止线要规定明确。除画出横线外，还插彩旗作为标志。在离终止线一百米的地方，须画出一条迎接赛者的线，还要准备成绩表、计时钟。

比赛正式开始前，参赛驼在年少体轻的骑手（多数为小孩）骑乘下，排队进入那达慕会场，顺时针绕主席台三圈，人们纷纷跟在后面泼洒鲜奶，祝他们一

赛驼比赛

路平安，载誉归来，接着来到起跑线上，等信号发出后一起奔跑。

当赛驼跑到迎接线的时候，有人便迎上来，按其先后到达顺序，分别授予冠军、亚军及其他名次的牌子或旗帜。获得名次的骆驼及主人再次入场，顺着绕主席台三圈，在主席台前按名次先后站成一排，头驼的脑袋上要戴红花。让骑手们尝过银碗里的鲜奶（酒）以后，祝颂人要唤着头驼的名号唱颂《头驼赞》。

祝颂以后，又将主人赞颂一番，向其赠送九九八十一件礼品，还给名列前茅的骆驼（骟驼、公驼可以同时参赛）以相应的奖励。最后一名殿军也要祝赞，并赠送少量礼品。这时牧民们便聚在一起，饮酒、唱歌、跳舞，或者弹奏马头琴、浩比斯（火拨思）等民族乐器，这时，赛驼活动才算进入了真正的高潮。

各族人民过春节

扫码查看
★ 同系列电子书
★ 内蒙古纪录片

　　蒙古族的春节虽有自己的传统特色，但总体还是与汉族过春节相似。

　　靠近东北地区的蒙古族，过春节大体分"送旧"和"迎新"。送旧是腊月二十三清洁卫生打扫家，到傍晚要"祭火"。蒙古族认为"火"代表着一个家族的传宗接代、兴旺。"祭火"是源自

春节祭火

于萨满教，蒙古族信仰喇嘛教后有所改变，牧民们把羊胸脯肉连同哈达、肉米粥、黄油、酒等做祭品，然后由长辈点燃九个小灯，并将祭品投入旺火里烧，口里念诵赞词，祝福家人幸福。祭火忌用红筷子，要用白色或黑色的。

烧完祭品后，全家进餐。有的把剩余祭品送给附近亲戚吃。"祭火"的时辰为傍晚黄昏时，上祭品时，男人在前，女人在后，一一叩拜。在旧时，富裕的人家还要专门请来喇嘛祭火。

年三十是最热闹的一天，人们穿上漂亮的蒙古袍，上午要上供祭佛，在佛柜供台上摆上各种奶食、油食，摆成小塔型，上边插上特制的金银花。还用十二个小铜盅倒满白水，一天换一次水，然后点上长明灯。同时，开始贴对联。晚上，备好饭菜后，铺好新毡，摆上酒、菜、肉，开始祭祖先。长辈嘴里念着高祖、曾祖的名字，把酒一盅又一盅地洒在地上，洒向天空。祭完祖先后，全家上席，晚辈敬酒给长辈送旧岁。全家席地坐在蒙古包中央，迎接新的一年的到来。午夜开始饮酒进餐，围坐吃饺子，俗称"黄馍馍"或"扁食"，按常规要多吃多喝，但今天酒肉要剩得越多越好，这样象征着新的一年酒肉不尽，吃喝不愁。

察哈尔部落的春节，也是在每年的农历正月初一。察哈尔人称"查干刹日"，"查干"是"白"的意思，"刹日"是"月"的意思。正月初一称作"查干刹日伊""西尼扭根"。察哈尔蒙古族历来把白色作

新年祈福

为上等色，吉祥色，是纯洁的象征。也把初一这一天，看作是祈求并祝愿一年兴旺、平安的一天。

初一的晚上，当人们看到启明星高高升起时，就开始在自家的门前祭天拜神。先由主人把早已准备好的火把点燃，把旺火点着，院中摆好供桌。这时女主就把供品摆上供桌，孩子们忙着点放爆竹。家里人按先男后女、辈份大小次序向喜神方向磕头（三跪九拜）。同时把供品掰成小块向四方扔出。这一仪式完成后，人们回到屋里，开始进行家庭内部的贺新春仪式。

这一礼仪有两种形式：其一是单独一家进行，其二是同宗几家合在一起进行。无论用哪一种形式进行，都要按辈份大小定次序。（有人说大年初一识大小就是这个意思）先给家祭的神佛点香、燃灯、叩头，然后给长辈们敬哈达、叩头、对交鼻烟壶（未结婚的人不使用鼻烟壶）。而后，人们按辈份、年龄分别入座。随后给人们敬奶茶，端上各种精美的食品茶点，大家品尝。其中设有一个看盘，盘子里堆砌的食物是最精美的。这盘食物是只准欣赏不准吃的，人们还必须先对这盘食物做一个品尝的动作。大家吃过茶点后，就开始敬新年酒，次序同敬哈达行礼一样。敬酒的时候，男子必须戴帽子，女子要戴头饰（已婚的）。敬完酒大家品尝新年的第一顿饭，一般

土默特左旗的祭火仪式

人家准备的是小饺子（蒙古族平常吃的一般是大饺子）和简单的下酒菜。待客的最后一道程序，是给小孩们压岁钱、糖果、鞭炮等（有的人家在敬酒的同时，给孩子们压岁钱）。家庭贺年礼结束后，人们从有声望的某一家开始，给全嘎查所有人家拜新年，不分贫富，不分尊卑。

兴安岭上鄂伦春

　　"鄂伦春"，其含义有两种解释，一是"住在山岭上的人们"，二是"使用驯鹿的人们"。

　　鄂伦春族生活的大、小兴安岭，是中国东北地区、黑龙江流域的两大山脉。大兴安岭由东北向西南，斜贯黑龙江省和内蒙古自治区，山高谷深、溪流纵横；小兴安岭沿黑龙江上游斜向东南，山势平缓。绵亘千里的兴安岭上，到处是茂

林中狩猎的鄂伦春族人（蜡像）

密的原始森林，林中栖息着虎、熊、鹿、犴、狍、野猪、貂、狐狸、野鸡等珍禽异兽。河里游弋着鲑鱼、鳇鱼等鱼类。鄂伦春人世世代代就靠着一杆枪、一匹马、一只猎犬，一年四季追逐着獐狍野鹿，游猎在这茫茫的林海之中。直到20世纪50年代，他们才走出白桦林，走下兴安岭，开始半耕半猎的定居生活。20世纪90年代，兴安岭全面禁猎以后，狩猎活动才渐渐退出他们的生活。

鄂伦春族有自己的语言，许多人还兼通汉语、鄂温克语、达斡尔语，通用汉字。

鄂伦春人的服饰别具特色，头戴狍头皮帽，身着狍皮衣裤，脚穿狍腿皮靴，这些皮制服装做得实用、美观，具有浓郁的民族特色。鄂伦春人穿的皮袍，男女式样基本相同，都是右大襟，男皮袍叫"尼罗苏恩"，前后或左右开衩，女皮袍装饰美丽。春秋季的猎装较短，长到膝盖，夏季的袍皮毛很短，颜色发红，所以也叫"红毛皮衣。"雨天将旧冬衣毛朝外穿，可以防水。男子穿的皮裤只到膝盖，腰间肥大。裤脚折起来用带子系住，塞进皮靴里。出野外时还要在外面穿上皮套裤。皮套裤是用耐磨的鹿、犴皮制作的，而且要刮掉毛，鞣制得非常软，这样骑马打猎时不仅结实抗磨，而且灵巧方便。女皮裤是长的，比男裤稍瘦些，前面带兜肚，裤腰从左右向前折，系上腰带，这种裤子适合骑马、采集等活动。鄂伦春人的皮靴是用狍、鹿、犴的腿皮制作的，用结实的狍脖子皮或野猪皮、犴皮、熊皮做底，按不同的季节做得高、矮、薄、厚各不相同。穿这

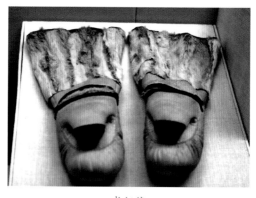

考胡落

样的皮靴出猎，轻便暖和，走路没有声音，不易惊动野兽。

狍头皮帽"灭塔哈"是用狍头皮按原状制作的，这是大人小孩都喜欢戴的帽子，它不仅抵御严寒，狩猎时还可以起到伪装作用，是鄂伦春族具有代表性的服饰。

适合狩猎使用的手套是"考胡落"，大拇指同四指分开，手掌留口。平时手在里面，射击时从掌心直接把手伸出来，非常方便。五指手套制作精美，常常是男女之间的定情信物。

呼伦贝尔达斡尔

　　达斡尔族居住在呼伦贝尔市，莫力达瓦达斡尔族自治旗是其主要聚居地，在我国北方的少数民族中，达斡尔族较早结束了游牧生活开始农业生产，如今，农业是达斡尔族主要的生产方式。

　　达斡尔族的村落大多坐落在依山傍水，风景秀丽的地方，房舍院落修建整齐，多用红柳、桦木杆或柞条编织的篱笆围起来。屋脊突出，形成"介"字，故称"介字房。"达斡尔族传统习俗以西为贵，

达斡尔族"波依阔"

西屋为居室，内有南、西、北三面大炕相连，组成所谓的"蔓子炕。"

达斡尔人以过年为最隆重的节庆活动。农历腊月三十，白天要祭祖、扫墓、阖家吃手扒肉、给长辈敬酒磕头。除夕晚间，每家要在大门前点燃篝火，长者将大块的肉等鲜美食物扔进火堆，表示对火神的敬奉,并祝人畜平安,五谷丰登;屋里要灯火通明，人们要通宵不眠。

正月初一清晨，各家要尽快吃完早饭，如拜年的人来了还没吃完，被认为是"堵住了饭碗"，意味一年不顺利。正月初一，妇女们要互赠礼物，外出做客不论男女，均互相敬烟，对长辈，更得行"敬烟礼"。延续赠礼至正月十六，期间，妇女们唱歌、跳舞、男子则玩"波依阔"（类似现代曲棍球）。"波依阔"和现代曲棍球一样，可以在草地上进行比赛，亦可在夜间进行，将木制的球内填充油质物,点燃后打火球，燃烧的火球在夜间东击西打、传来传去，犹如游龙戏珠，场面别致。

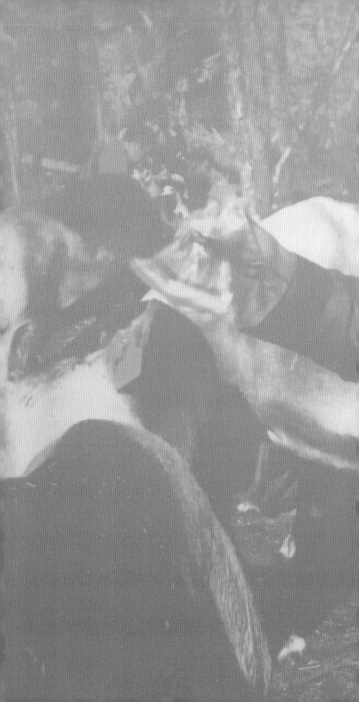

敖鲁古雅鄂温克

　　敖鲁古雅鄂温克族，又称"使鹿鄂温克"，是中国最后一个狩猎部落，是中国唯一饲养驯鹿的少数民族。现在，敖鲁古雅使鹿鄂温克人仅有数百人，却浓缩了整个北极圈的寒带森林文化——

驯鹿

敬畏生命，感恩自然。

敖鲁古雅鄂温克族乡，位于呼伦贝尔市根河市最北部的敖鲁古雅河畔，是内蒙古自治区最北的一个乡。是鄂温克族最远也是最神秘的一个支系居住的地方。

这里几乎家家户户都放养驯鹿，走在小镇的街巷上，不时可以看到拉着雪橇急驰而过的驯鹿，这种动物身躯强健，以白色和褐色最为多见，生性耐寒，很适合在高寒地区生活。

"敖鲁古雅"是鄂温克语，意为"杨树林茂盛的地方"。三百年前，他们来自更北方的西伯利亚。他们世代以打猎和饲养驯鹿为生，拥有自己传统的生活方式。

20 世纪 50 年代以前，鄂温克族猎民仍然保持着原始社会末期的生产、生活方式，吃兽肉、穿兽皮，住的是冬不防寒、夏不避雨的"撮罗子"，以驯养驯鹿为生。如今，政府给敖鲁古雅乡人新建了居所，猎民的生活条件也发生了巨大变化，但淳朴的民俗民风却始终保留着。

作为一支曾以游猎而闻名的鄂温克部落，枪与山林，在每一个敖鲁古雅猎民心中都留下了不可磨灭的痕迹。"鹰的眼，狼的胃，兔子的腿"，猎民们经常这样形容自己。虽然猎民们迁下山来，但是一些老人还住在山上的猎民点里。这样做，一是因为驯鹿要吃山上的苔藓才能生存，二是他们离不开那片养育过自己的山林。

长期的原始封闭状态，让敖鲁古雅

撮罗子

鄂温克猎民保留了原生态的民族文化。他们信奉"萨满"，拜祭树神，用桦树皮制作生活用具。据当地人讲，鄂温克猎民从不砍伐活树，宁可走到很远的地方去扛回枯死的树木作为柴烧。在野外，他们则吸食一种"口烟"（猎民们自制的一种提神用品），避免吸烟用火。

　　常年与森林为伴，鄂温克猎民最快乐的娱乐方式就是歌舞了。燃起一堆篝火，男女老少手拉手围着火堆自左向右转动，歌声由低到高，速度由慢转快，热闹异常。他们的歌词大都是怀念故乡、欢迎客人、赞美祖先打猎等内容，以此表达思念，抒发感情。

后　记

在中国版图上，内蒙古自治区如厚实的脊梁挺立在北方。这里有壮丽神奇的自然风景、独具魅力的人文景观、特色浓郁的民俗风情、丰富多元的旅游文化；这里的人民团结一心，在中国共产党的正确领导下，沿着中国特色社会主义道路不断前进，经济社会发展实现历史性跨越。

内蒙古人民出版社组织策划的这套全方位展示内蒙古风采的《"亮丽内蒙古"文化普及口袋书》，在内蒙古自治区党委宣传部和内蒙古出版集团的精心指导和大力支持下，成功立项并入选"亮丽内蒙古"重点图书出版工程。能够参与丛书的编写，我深感荣幸，感谢内蒙古人民出版社给我提供了这样的机会。

由于时间仓促,加之笔者水平有限,书稿不尽完美,在编校出版过程中,内蒙古人民出版社民族历史文化读物出版中心的编辑老师付出很多心血,她们认真负责、精益求精,使丛书在短时间内保质保量出版,在此,对各位编辑老师表示深深的谢意。

希望这套口袋书可以向读者展示一个真实生动、色彩斑斓的内蒙古,让更多的人了解内蒙古、认识内蒙古、爱上内蒙古。

编者
2021 年 9 月于呼和浩特市